Uli Stein

Schöne Bescherung!

LAPPAN

Uli Stein, 1946 in Hannover geboren,
ist der erfolgreichste deutsche Cartoonist.
Seine dicknasigen Figuren mit Spiegeleieraugen
und seine verschmitzten Katzen, Hunde und Mäuse
begeistern Woche für Woche Millionen von Zeit-
schriftenlesern. Auf über zweihundert verschiedenen
Karten und zahllosen Geschenkartikeln sind sie
inzwischen zu finden. Seine bisher im Lappan Verlag
erschienenen Bücher haben eine Gesamtauflage
von über vier Millionen Exemplaren erreicht.

167. - 187. Tausend
4. Auflage Oktober 1994

© 1991 Lappan Verlag GmbH
Würzburger Straße 14 · 26121 Oldenburg
Reproduktion: Litho Niemann + M. Steggemann GmbH · Oldenburg
Druck und Bindung:
New Interlitho S.P.A. · Trezzano
Printed in Italy

ISBN 3-89082-418-8

ICH WÜNSCHE MIR NICHTS BESONDERES...
HAUPTSACHE, ES IST NICHT WIEDER EIN SCHLIPS
ODER EIN PAAR SOCKEN...

ICH HAB' JETZT RAUSGEKRIEGT, WAS
ERWIN SICH ZU WEIHNACHTEN WÜNSCHT:
EINE FLIEGE UND KNIESTRÜMPFE!

Hier … Du mußt noch Deinen Wunschzettel schreiben…

Das Obere auf Deinem Wunschzettel kann ich noch entziffern: Metallsäge.
Aber das Zweite? Strickleder oder Strickleiter, oder was?

Meine Frau will von mir zu Weihnachten unbedingt einen Pelzmantel! Würde es Ihnen etwas ausmachen, ein paar Wochen vor unserem Haus auf- und abzugehen?

Du fühlst Dich völlig entspannt und hast nur noch einen Gedanken:
Mir zu Weihnachten ein Fahrrad mit Zwölfgangschaltung zu kaufen…

WEIL WEIHNACHTEN DAS FEST DER
LIEBE IST, WILL ICH DIR EINEN...

...VON MEINEN SELBSTGEBACKENEN
WEIHNACHTSKEKSEN ABGEBEN...

Die Kekse haben keinen strengen Beigeschmack,
wenn Du nicht immer die Dekoration mitißt…

Tut mir leid, am 24. 12. sind wir schon ausgebucht – aber ich könnte
Ihnen noch den 4. Februar oder den 23. März anbieten…

Gerne informieren wir Sie über unser Programm. Postkarte genügt: Lappan Verlag, Postfach 3407, 26024 Oldenburg